Comment faire disparaître sa voisine

Une histoire écrite par
Émilie Rivard
et illustrée par
Pascal Girard

cheval
masqué

Catalogage avant publication de Bibliothèque et Archives nationales du Québec et Bibliothèque et Archives Canada

Rivard, Émilie, 1983-

Comment faire disparaître sa voisine

(Cheval masqué. Au galop) Pour enfants de 6 à 10 ans.

ISBN 978-2-89579-314-4

I. Girard, Pascal. II. Titre. III. Collection: Cheval masqué. Au galop.

PS8635.I83C65 2010   jC843'.6   C2010-940721-0
PS9635.I83C65 2010

Nous reconnaissons l'aide financière du gouvernement du Canada par l'entremise du Programme d'aide au développement de l'industrie de l'édition (PADIÉ) pour nos activités d'édition.

 **Conseil des Arts   Canada Council
du Canada   for the Arts**

Bayard Canada Livres inc. remercie le Conseil des Arts du Canada du soutien accordé à son programme d'édition dans le cadre du Programme des subventions globales aux éditeurs.

Cet ouvrage a été publié avec le soutien de la SODEC.
Gouvernement du Québec – Programme de crédit d'impôt pour l'édition de livres – Gestion SODEC.

Dépôt légal –
Bibliothèque et Archives nationales du Québec, 2010
Bibliothèque et Archives Canada, 2010

Direction: Andrée-Anne Gratton
Graphisme: Janou-Ève LeGuerrier
Révision: Sophie Sainte-Marie

Imprimé au Canada

UNE VOISINE EMBÊTANTE

— Sept, six, cinq, quatre, trois, deux, un, prêts pas prêts, j'y vais!

Je me dirige vers le cabanon, à la recherche de Julien, de Victor et de Charlotte. Tout à coup, une tête aux cheveux frisés apparaît de l'autre côté de la clôture. C'est celle de madame Ursule, ma voisine.

Ah non! Je sais déjà ce qu'elle me dira. Comme je le pensais, elle chuchote:

— Psst... Alexis! Victor est sous la galerie, Julien est dans l'érable devant la maison et Charlotte est derrière le buisson.

Je hausse les épaules, découragé. Une fois de plus, madame Ursule a gâché notre jeu. Depuis qu'elle a pris sa retraite, cette ancienne diseuse de bonne aventure s'ennuie de faire des prédictions. Elle se distrait donc en devinant l'avenir de ses voisins: le nôtre!

Quand je veux lire une bande dessinée en cachette le soir, elle dévoile mes plans à ma mère. Elle a aussi révélé que nous avions l'intention de voler des barres de chocolat dans le haut de l'armoire du père de Victor.

Elle s'est même rendue jusqu'à l'école pour parler à notre enseignante. Elle lui a appris que Charlotte copierait mes réponses au prochain examen de mathématiques.

Je marche lentement jusqu'à la galerie. Tel que madame Ursule me l'avait annoncé, Victor y est.

Sans joie, je marmonne :

— Trouvé.

— As-tu vu madame Ursule ? demande mon ami.

— Eh oui !

— Alors on va jouer ailleurs, d'accord ?

Nous découvrons Julien et Charlotte sans difficulté, puis nous partons en direction du parc. En chemin, Victor s'exclame :

— Madame Ursule nous empoisonne vraiment la vie. J'aimerais tellement qu'elles disparaissent, elle et sa boule de cristal ! Pour toujours !

Julien ajoute, sans trop y croire :

— Ou qu'elle soit engagée par une fête foraine qui fait le tour de la planète ! On aurait enfin la paix !

— Elle pourrait tomber amoureuse et déménager très loin de chez nous, dit Charlotte.

— Quel homme tomberait amoureux d'une casse-pieds comme madame Ursule ? demande Victor.

Nous éclatons tous de rire, puis je réfléchis quatre secondes. Moi, je sais qui est fou de ma voisine : Jean-Guy, le facteur… Chaque fois qu'il voit madame Ursule, il rougit et il laisse échapper toutes ses lettres. Et… il habite à l'autre bout de la ville !

▲

Chapitre 2
UN PLAN PARFAIT

Le soir même, Julien, Charlotte et moi élaborons un plan pour que madame Ursule tombe amoureuse de Jean-Guy le facteur. Victor, lui, prépare toutes sortes de mauvais coups pour occuper la boule de cristal de madame Ursule. Bien sûr, il n'a pas l'intention de les réaliser, mais, ça, ma voisine ne le sait pas!

Il songe d'abord à déguiser le chat de monsieur Grégoire en vache. Puis il réfléchit au moyen de repeindre en rose bonbon la niche de Brutus, le chien du vilain Valois. Avec tous ces mauvais coups à prédire, nous espérons que la diseuse de bonne aventure ne verra rien de notre réunion secrète!

— Il nous faudrait un philtre d'amour, dit Charlotte.

Julien et moi demandons en chœur:

— Un quoi?

— Un philtre d'amour! C'est comme une potion magique. C'est très efficace… dans les films. Sauf que la seule personne que nous connaissons qui pourrait en posséder la recette, c'est madame Ursule!

— Mais… madame Ursule ne voudra jamais nous la donner si c'est pour l'ensorceler !

Lorsque je lui fais remarquer ce détail, mon amie réplique :

— Elle n'a pas à savoir que c'est pour elle…

Je persiste:

— Elle devine toujours tout grâce à sa fichue boule de cristal! On ne peut pas demander à Victor de penser à des bêtises encore longtemps, sinon il sera puni jusqu'à ses cent ans!

— Et si madame Ursule n'avait plus sa boule de cristal, elle ne pourrait pas savoir pourquoi nous voulons un philtre d'amour... chuchote Julien.

— Tu penses à la lui voler? s'exclame Charlotte, les yeux ronds.

— Non, seulement à la lui emprunter... Après tout, c'est pour son bien!

C'est risqué, mais ce petit, minuscule, microscopique vol me tente beaucoup!

Chapitre 3

CHEZ LA VOISINE...

Je rejoins Julien et Charlotte au parc le lendemain. Victor n'y est pas, puisqu'il est puni. Madame Ursule a encore raconté à ses parents les bêtises imaginées par notre ami. Elle exagère, sauf que, cette fois-ci, nous en sommes bien heureux. C'est le signe que notre plan a fonctionné!

Tout en se balançant, Charlotte dit :

— Emprunter la boule de cristal de la voyante du quartier sera tout un défi ! Nous devrons agir très vite pendant son absence. Elle fait toujours son marché le dimanche… et c'est aujourd'hui !

Julien ajoute :

— J'essaierai de la retenir le plus long-temps possible en lui posant des questions

sur son passé. Elle adore parler de ses histoires de jeunesse!

Mon ami enfourche son vélo et disparaît en direction de l'épicerie. Charlotte et moi revenons dans ma cour. Bien camouflés derrière la clôture, nous espionnons ma voisine.

— Regarde, Alexis, madame Ursule sort de chez elle! On y va maintenant?

— Attends un peu, elle vient juste de monter dans sa voiture...

Après son départ, nous allons nous cacher dans sa cour, derrière une immense poubelle.

VRR

Près de nous, une porte-fenêtre mène au salon. Comment allons-nous entrer? Nous n'avions pas prévu ce détail!

Je signale cet obstacle à Charlotte. En me lançant un clin d'œil, elle prend une pince à cheveux dans sa poche. Cette fille est vraiment débrouillarde… Je l'adore! Elle insère la pince dans la serrure. Un simple mouvement du poignet et hop! la porte s'ouvre. Je chuchote:

— Comment as-tu fait?

— J'avais vu ça dans un film, mais je dois t'avouer quelque chose: la porte n'était pas verrouillée!

Je suis un peu moins impressionné…

À l'intérieur, le plancher craque et les portes grincent. Une forte odeur de fumée flotte dans le salon. On dirait que la maison au complet murmure : « Sortez d'ici, petits voyous ! »

Je suis de moins en moins certain que ce plan était génial.

Nous regardons dans tous les coins, près de l'énorme sofa mauve, sur la vieille table à café, à côté du téléphone antique… La boule de cristal est introuvable.

Je me faufile dans le corridor pendant que Charlotte va dans la cuisine. Plusieurs portes fermées y sont alignées. J'en ouvre une au hasard.

Le grand lit placé au milieu me laisse croire qu'il s'agit de la chambre de madame Ursule. Des dizaines de bibelots et de cadres remplissent le moindre espace. À première vue, la boule n'y est pas. Je devrais peut-être chercher dans les tiroirs, mais ça me gêne un peu trop.

Tout à coup, je sens une présence dans mon dos. Ça y est, Julien n'a pas pu retenir madame Ursule assez longtemps!

Je n'ose pas me retourner.

Puis une voix me rassure. C'est Charlotte!

— Ça va, Alexis? Tu es aussi raide qu'un poteau de téléphone! Regarde ce que j'ai trouvé!

Elle tient fièrement la boule dans sa main. Les yeux ronds, je lui demande:

— Où était-elle?

— Tu ne me croiras jamais. Elle était dans la baignoire!

Avec madame Ursule, tout est possible. J'éclate de rire, mais Charlotte me fait vite signe de me taire.

On entend alors la porte d'entrée s'ouvrir. Cette fois-ci, c'est vrai: la diseuse de bonne aventure est bel et bien revenue!

SORTIR DE LÀ !

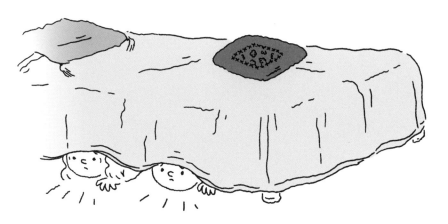

Charlotte et moi nous glissons sous le lit. J'entends Julien parler très fort pour nous avertir de leur présence au cas où nous serions encore dans la maison. Il propose à madame Ursule de l'aider à ranger son épicerie, puis il pose des questions sur chaque légume qu'il touche.

Tant que ces deux-là demeurent dans la cuisine, mon amie et moi sommes en sécurité. Mais combien de temps devrons-nous rester cachés ici?

Je murmure à Charlotte:

— Qu'est-ce qu'on fait, maintenant? On sort par la fenêtre?

— Bonne idée!

Je rampe jusqu'au mur et je me relève lentement pour être certain que personne ne me verra de l'extérieur. Je tente d'ouvrir la fenêtre, sauf qu'elle est coincée! Charlotte se dépêche de venir m'aider.

Elle dépose la boule de cristal sur le lit, puis, ensemble, nous essayons de remonter la vitre. Celle-ci finit par se débloquer dans un grincement incroyable. Je suis certain que même Jean-Guy le facteur, à l'autre bout de la ville, a pu l'entendre. Nous sautons vite à l'extérieur, Charlotte la première.

Une fois dehors, je réalise que nous avons oublié la boule ! Oh non ! Je me faufile de nouveau par la fenêtre, je saisis l'objet de cristal et je ressors juste au moment où une ombre s'approche de la chambre.

Nous courons jusque chez moi. J'ai eu si peur ! Je me retiens de respirer jusqu'au moment où nous atteignons le cabanon. Charlotte me dit :

— Sapristi, Alexis ! Tu es vraiment courageux !

Fait-il assez noir dans le cabanon pour ne pas qu'elle remarque que je suis rouge tomate ? J'espère bien…

Chapitre 5

PERDRE LA BOULE

Julien nous rejoint dans le cabanon. D'après lui, madame Ursule ne nous a pas vus. Nous poussons un long soupir de soulagement. Selon mon ami, ma voisine ne s'est pas aperçue non plus que sa boule avait disparu.

Julien ajoute :

— Et voulez-vous savoir la meilleure ?

Charlotte et moi hochons la tête. Julien continue :

— J'ai raconté à madame Ursule que je cherchais une recette de potion magique pour séduire une fille. Évidemment, je lui ai dit que c'était pour un de mes amis.

Charlotte le félicite :

— C'était bien pensé, Julien. Elle t'a cru pour de vrai ?

— Eh oui !

Julien prend dans sa poche une vieille feuille pliée en quatre. Il la déplie et nous montre la recette du philtre d'amour !

Le reste de l'après-midi, nous essayons de lire les réponses du prochain examen de français dans la boule de cristal. La première fois, nous y voyons des chiffres, la deuxième

fois des couleurs, et la troisième fois des mots en anglais. Elle a complètement perdu la boule, cette boule !

Le lendemain matin, je sors de la maison pour me rendre à l'école. La tête de madame Ursule apparaît de l'autre côté de

la clôture. Ses yeux de chat me fixent un moment. J'ai l'impression qu'ils essaient de lire dans mes pensées.

— Mon petit Alexis, aurais-tu vu ma boule de cristal, par hasard? demande-t-elle.

Je n'ai jamais été un très bon menteur, mais je réussis à bredouiller:

— Non, Madame Ursule.

— Je ne sais pas où elle peut bien être… Je n'aurais pas dû laisser la fenêtre de ma chambre ouverte, aussi!

Lorsqu'elle tourne les talons, je soupire de soulagement. Oh non! elle s'approche de nouveau de la clôture! Qu'est-ce qu'elle veut encore?

Elle dit tout bas:

— Est-ce que Julien t'a remis la recette du philtre d'amour? N'en mets pas trop dans le verre de Charlotte…

Charlotte et moi? De quoi parle-t-elle? Voyant mon air surpris et mon visage qui rougit d'un coup, elle ajoute:

— Je n'ai pas besoin de ma boule pour sentir ce genre de chose, tu sais…

Puis elle retourne chez elle en chantonnant. Pfft! Elle est aussi mélangée que sa boule! Franchement! Moi, vouloir séduire Charlotte?

Chapitre

6

AMOUROSO, AMOUROSA...

Les jours suivants, nous préparons le plan « philtre d'amour » pour qu'il soit plus que parfait. Victor trouve les ingrédients nécessaires dans l'armoire à épices de sa mère : de la coriandre, du piment d'Espelette et de la menthe séchée.

Il est bien content d'enfin sortir de sa chambre et de revenir dans l'action avec nous! De son côté, Charlotte déniche un morceau de tissu rouge et un ruban de satin blanc, comme la recette le demande.

Un soir de pleine lune, je m'occupe de suivre à la lettre les étapes de la recette. Je glisse les herbes dans le baluchon formé avec le tissu et le ruban, je secoue le tout, puis je récite les mots magiques:

— *Amouroso, amourosa*, que l'amour frappe celui qui l'avalera. Tu es fou amoureux d'elle, elle sera folle amoureuse de toi. *Amouroso, amourosa!*

Le lendemain matin, tout se déroule à merveille. Un magnifique soleil brille et madame Ursule a ouvert la fenêtre de sa cuisine pour laisser entrer cette belle lumière. Mes amis et moi la voyons s'asseoir et déposer une théière sur la table. C'est le moment d'agir!

Je prends la boule de cristal, puis je cours vers le côté de la maison, où est située la chambre de ma voisine. J'essuie l'objet magique pour effacer nos traces de doigts et je le dépose dans l'herbe. Je crie alors:

— Madame Ursule! Venez voir!

J'entends la porte d'entrée s'ouvrir et des pas s'approcher. Madame Ursule me regarde

sans trop comprendre, puis elle aperçoit sa boule.

— Mais comment a-t-elle pu atterrir là ? demande-t-elle.

— Je ne sais pas. J'ai remarqué Brutus, le chien du vilain Valois, renifler quelque chose ici. J'étais curieux de voir ce que le méchant bouledogue avait encore trouvé.

Je ne dois pas avoir l'air convaincant, puisqu'elle me dit en plissant les yeux :

— En es-tu certain ? Ce ne serait pas plutôt toi qui aurais emprunté ma boule ?

— Pour… pourquoi j'aurais voulu l'emprunter ?

Oh ! oh ! je dois à tout prix la persuader que je ne suis pas le coupable, sinon le plan sera foutu !

Heureusement, derrière madame Ursule, je vois Julien et Victor qui lèvent leurs pouces en l'air. Ils ont donc réussi à défaire le baluchon et à saupoudrer les herbes

dans la théière. Avec toutes les autres plantes étranges qui flottent dans l'eau bouillante, elle n'y verra que du feu!

Madame Ursule insiste. Elle me fait un clin d'œil et dit :

— Tu voulais connaître le meilleur moyen de séduire mademoiselle Charlotte, c'est bien ça ?

Elle croit encore que je suis amoureux de Charlotte ? Elle invente n'importe quoi, mais je ne peux quand même pas laisser passer cette chance de me tirer d'embarras.

La tête basse, j'avoue :

— Oui, c'est bien ça. Je m'excuse...

— Ça va pour cette fois. Après tout, j'ai déjà réalisé bien des folies par amour, moi aussi !

Elle retourne dans sa maison en sifflotant et en portant sa boule de cristal sous le bras.

En rentrant chez moi, je croise Jean-Guy le facteur, à qui je prédis l'une des plus belles journées de sa vie!

Chapitre 7

LETTRE SURPRISE

De la fenêtre de ma chambre, Julien, Charlotte, Victor et moi espionnons madame Ursule. Nous ne voyons pas la cuisine, juste ce qui se passe sur le perron. Charlotte s'exclame :

— Regardez ! Madame Ursule fait entrer Jean-Guy !

— Croyez-vous qu'elle va lui offrir du thé ? demande Julien.

Un quart d'heure plus tard, nous avons la réponse à cette question. Le facteur sort de la maison. Il regarde à gauche et à droite. Puis, comme il ne voit personne, il exécute un pas de danse pour exprimer sa joie. Une seule chose peut le rendre aussi joyeux: l'amour!

Mes amis et moi crions en chœur:

— On a réussi!

Les jours suivants, nous parvenons à jouer à la cachette sans être embêtés. De plus, notre courrier arrive toujours en retard…

Puis, un bon matin, madame Ursule sort de chez elle avec trois valises bien remplies. Jean-Guy le facteur la suit, tenant deux autres sacs et une pancarte «à vendre», qu'il plante devant la maison. Ils ont l'air si heureux, tous les deux! Mais ils ne le sont

pas autant que Victor, Julien, Charlotte et moi. Nous avons réussi à faire disparaître la diseuse de bonne aventure!

Le lendemain, Jean-Guy dépose une drôle d'enveloppe dans notre boîte aux lettres. Elle est toute rose, et son odeur étrange me rappelle celle du salon de madame Ursule. Aucun timbre n'a été collé dans le coin droit.

Quand ma mère ouvre cette mystérieuse lettre, je reste près d'elle. Je serai peut-être un peu en retard à l'école, sauf que ma curiosité est trop grande. Le regard de maman parcourt le message. Ses sourcils se froncent de plus en plus. Lorsqu'elle termine sa lecture, elle a l'air plutôt en colère… Elle me dit d'un ton brusque:

— Franchement, Alexis!

Les yeux ronds de surprise, je bredouille :

— Mais… mais qu'est-ce que j'ai fait ?

Elle me tend alors la feuille rose qui sent la fumée. Je peux y lire :

Bonjour, Madame Pouliot,

Ne vous inquiétez pas. Même si j'ai dé-ménagé, vous pourrez quand même profiter de mes prédictions *tous les jours grâce à mon cher Jean-Guy, qui continuera à être votre* facteur.

Cet après-midi, durant le cours d'édu-cation physique, votre fils Alexis voudra défendre mademoiselle Charlotte. Il lancera un ballon de basketball sur son camarade de classe Bruno Valois et lui cassera ainsi le nez. Surveillez aussi de près votre armoire à épices. Votre coriandre, votre piment d'Es-pelette et votre menthe séchée pourraient

bientôt être volées et se retrouver dans le jus d'orange de Charlotte...

Je vous envoie d'autres *prédictions* demain matin.

Passez une bonne journée!

Ursule

P.-S. Remerciez Alexis et ses amis pour moi. Grâce à eux, mon bonheur est si grand que ma *boule de cristal* est plus claire que jamais!

FIN

Voici les livres **AU GALOP** de la collection :

Lesquels as-tu lus ? ☑